废名全集 第五卷 诗歌

陈建军／编

武汉出版社

（鄂）新登字 08 号

图书在版编目（CIP）数据

废名全集. 第五卷, 诗歌 / 陈建军编. — 武汉 : 武汉出版社, 2023.10
ISBN 978-7-5582-6071-1

Ⅰ.①废… Ⅱ.①陈… Ⅲ.①废名（1901-1967）—全集 Ⅳ.①I217.2

中国国家版本馆CIP数据核字（2023）第096930号

编　　者 :	陈建军
责任编辑 :	万洪涛
封面设计 :	刘福珊
督　　印 :	方　雷　代　湧
出　　版 :	武汉出版社
社　　址 :	武汉市江岸区兴业路136号　　邮　　编 : 430014
电　　话 :	(027)85606403　　85600625
http://www.whcbs.com　　E-mail: whcbszbs@163.com	
印　　刷 :	湖北新华印务有限公司　　　经　销 : 新华书店
开　　本 :	880 mm × 1230 mm　　1/32
印　　张 :	7.375　　字　　数 : 200千字
版　　次 :	2023年10月第1版　　2023年10月第1次印刷
定　　价 :	980.00元（全套十卷）

版权所有·翻印必究
如有质量问题，由本社负责调换。

废名赠周作人照片

废名赠周作人照片

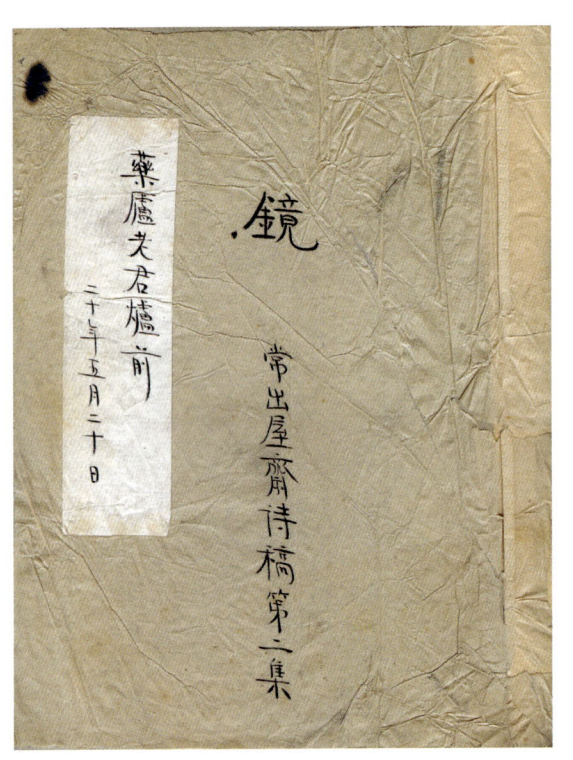

诗集《镜》
手稿封面

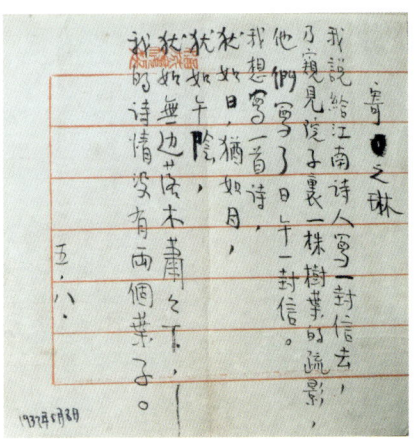

镜

常出屋斋诗稿第二集

药庐老君炉前
二十年五月二十日

《寄之琳》手稿

寄之琳

我说给江南诗人写一封信去，
只说见院子里一株树叶的疏影，
他们写了日午一封信。
我想写一首诗，
犹如日，犹如月，
犹如午阴，
犹如无边的落木萧萧下，
我的诗情没有两个叶子。

五·八

1937年5月8日

《水边》,废名、开元著,新民印书馆1944年4月初版

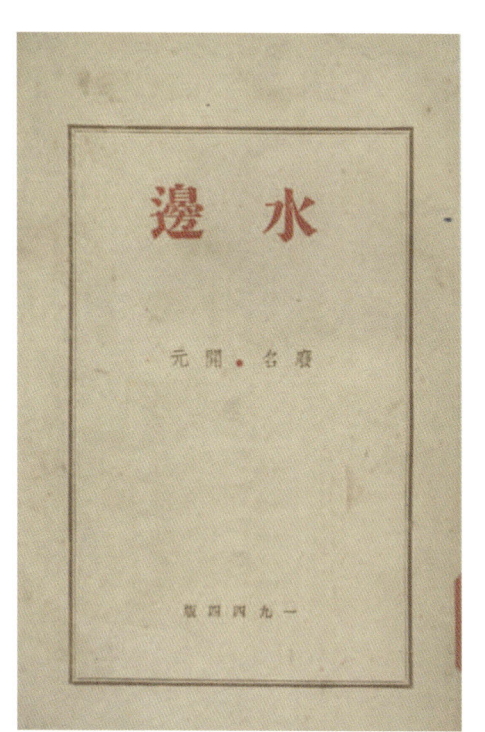

《水边》插页

飞尘

不是恐吓着空山灵雨,
也不是恐着虚谷足音,
又是一番意中精神,
犹如是宇宙的尘土,——
窗外是一声麻雀叫笑,——
是句,诗稿有纸灰扇妈了,
桌上是一盏爱借的宜心.
宇宙是一颗不损坏的飞尘。

《歌颂篇三百首》手稿封面

《歌颂篇三百首》手稿

四　优先发展重工业

1
空前统一的中国,
这话说起了不得。
青年也许觉奇怪,
事实如此有啥说?

2
优先发展重工业,
老人乍听耳不惯,
中国本来是落后,
共产党有啥妙诀?

3
中国从前不一心,
孙中山难得到北京。
如今因由党领导,
各族人民一家亲。

4
统一就是大幸福,
党的功勋第一句,
越是年纪大的人

目　　录

第五卷　诗歌

镜 ………………………………………………………（1）
　灯 ………………………………………………………（3）
　泪落 ……………………………………………………（5）
　海 ………………………………………………………（7）
　镜 ………………………………………………………（8）
　掐花 ……………………………………………………（9）
　空华 ……………………………………………………（10）
　伊 ………………………………………………………（11）
　画 ………………………………………………………（12）
　伊 ………………………………………………………（13）
　花露 ……………………………………………………（14）
　渡 ………………………………………………………（15）
　人间 ……………………………………………………（16）
　荡舟 ……………………………………………………（17）
　醉歌 ……………………………………………………（19）
　墓 ………………………………………………………（20）

上帝的花园	(21)
伊	(22)
妆台	(23)
无题	(24)
自惜	(25)
镜铭	(26)
秋水	(27)
果华	(28)
壁	(29)
朝阳	(30)
耶稣	(31)
梦中	(32)
无题	(33)
画题	(34)
拈花	(35)
沉埋	(36)
莲花	(37)
路上	(38)
梦中	(39)
池岸	(40)
梧桐	(41)
伊的天井	(42)
太阳	(43)
赠	(44)
花盆	(45)

歌颂篇三百首 ……………………………………………… (47)
  一　前言 ………………………………………………… (49)
  二　半封建半殖民地 …………………………………… (56)
  三　歌烈士 ……………………………………………… (62)
  四　优先发展重工业 …………………………………… (67)
  五　抗美援朝 …………………………………………… (72)
  六　矛盾论颂 …………………………………………… (76)
  七　再颂矛盾论 ………………………………………… (82)
  八　整风和反右 ………………………………………… (84)
  九　大字报赞 …………………………………………… (88)
  十　跃进篇一 …………………………………………… (93)
  十一　跃进篇二 ………………………………………… (101)
  十二　妇女篇 …………………………………………… (113)
  十三　赞五员 …………………………………………… (124)
  十四　知识分子改造 …………………………………… (129)
  十五　伟大的教育革命 ………………………………… (137)
  十六　人民公社好 ……………………………………… (142)

集外 …………………………………………………………… (147)
  小雀 ……………………………………………………… (149)
  小猫 ……………………………………………………… (150)
  算命的瞎子 ……………………………………………… (151)
  小孩 ……………………………………………………… (152)
  夏日下乡途中所见 ……………………………………… (154)
  夏夜 ……………………………………………………… (155)

京寓杂感 …………………………………… （156）

追记去年在县城经过牢狱所感 …………… （157）

风暴的晚上 ………………………………… （158）

《努力》 ……………………………………… （159）

冬夜 ………………………………………… （160）

小孩 ………………………………………… （161）

小诗 ………………………………………… （162）

杂诗 ………………………………………… （163）

杂诗 ………………………………………… （166）

磨面的儿子 ………………………………… （168）

洋车夫的儿子 ……………………………… （169）

夏晚 ………………………………………… （170）

小诗 ………………………………………… （171）

一日内的几首诗 …………………………… （172）

译诗 ………………………………………… （174）

笼 …………………………………………… （175）

亚当 ………………………………………… （178）

沉默 ………………………………………… （179）

止定 ………………………………………… （180）

诗情 ………………………………………… （181）

眼明 ………………………………………… （182）

梦之二 ……………………………………… （183）

无题 ………………………………………… （184）

草，树，花 …………………………………… （185）

画 …………………………………………… （186）

拔树梦	(187)
琴	(188)
花的哀怨	(189)
玩具	(190)
果	(191)
栽花	(192)
坟	(193)
小园	(194)
无题	(195)
无题	(196)
无题	(197)
出门	(198)
理发店	(199)
北平街上	(200)
飞尘	(201)
二十五年十一月十五日北平初冬大雪后夜半作是日鹤西回保定	(202)
灯	(204)
星	(205)
十二月十九夜	(206)
宇宙的衣裳	(207)
喜悦是美	(208)
远天的星	(209)
小河	(210)
街头	(211)

寄之琳 …………………………………………（212）

偶成 ……………………………………………（213）

雪的原野 ………………………………………（214）

街上的声音 ……………………………………（215）

四月二十八日黄昏 ……………………………（216）

鸡鸣 ……………………………………………（217）

人类 ……………………………………………（218）

真理 ……………………………………………（219）

人生 ……………………………………………（220）

向报名参加援朝志愿部队同学致敬 …………（221）

工作中依靠共产党 ……………………………（222）

迎新词 …………………………………………（224）

欢迎志愿军归国 ………………………………（225）

五九年"七一"作抒情诗二首 …………………（227）

无题 ……………………………………………（228）

镜

手稿,原件现藏周作人后人处。封面标题为"镜",副标题为"常出屋斋诗稿第二集",赠款为"药庐老君炉前 二十年五月二十日"。收诗40首,均作于1931年。

灯

人都说我是深山隐者，
我自夸我为诗人，
我善想大海，
善想岩石上的立鹰，
善想我的树林里有一只伏虎，
月地爬虫
善想庄周之龟神，
褒姒之笑，
西施之病，
我还善想如来世尊，
菩提树影，
我的夜真好比一个宇宙，
无色无相，
即色即相，
沉默又就是我的声音，
自从有一天，
是一个朝晨，
伊正在那里照镜，

我本是游戏，
向窗中觑了这一位女子，
我却就在那个妆台上
仿佛我今天才认见灵魂，
世间的东西本来只有我能够认，
我一点也不是游戏，
一个人我又走了回来，
我的掌上捧了一颗光明，
我想不到这个光明又给了我一个黑暗，——
从此我才忠实于人间的光阴，
我看守着夜，
看守着夜我把我的四壁也点了一盏灯，
我越看越认它不是我的光明，
我的光明那里是这深山里一只孤影？
我却没有意思把我的灯再吹灭了，
我仿佛那一来我将害怕了。

         四月十五日

泪　　落

我佩着一个女郎之爱
慕嫦娥之奔月,
认得这是顶高地方一棵最大树,
我就倚了这棵树
作我一日之休歇,
我一看这大概不算人间,
徒鸟兽之迹,
我骄傲于我真做了人间一桩高贵事业,
于是我大概是在那深山里禅定,
若梦虎来,
若梦虎去,
非此投身,
彼自食人,
一生一副好精神,

---

① 载北平《华北日报·文艺周刊》1934年5月7日第6期,与《镜》合题为"诗选之五",署名废名,未署写作时间。又载奉天《盛京日报》1934年5月20日《另外一页》,署名废名。

微笑于彼无知之生命,
堕泪于是我之尸身。

五月十二日

海①

我立在池岸

望那一朵好花

亭亭玉立

出水妙善,——

"我将永不爱海了。"

荷花微笑道:

"善男子,

花将长在你的海里。"

五月十二日

---

① 载北平《文学季刊》1934年1月1日创刊号,署名废名,末署"二十年五月十二日"。收入《水边》(新民印书馆1944年4月20日初版)和《招隐集》(大楚报社1945年5月初版)。另见《新诗讲义——关于我自己的一章》,《天津民国日报·文艺》1948年4月5日第120期。

镜[1]

我骑着将军之战马误入桃花源,
溪女洗花染白云,
我惊于这是那里这一面好明镜?
停马更惊我的马影静,
女儿善看这一匹马好看,
马上之人
唤起一生
汗流浃背,
马虽无罪亦杀人,——

自从梦中我拾得一面好明镜,
如今我才晓得我是真有一副大无畏精神,
我微笑我不能将此镜赠彼女儿,
常常一个人在这里头见伊的明净。

五月十三日

---

[1] 载北平《华北日报·文艺周刊》1934年5月7日第6期,与《泪落》合题为"诗选之五",署名废名,未署写作时间。

掐　　花①

我学一个摘华高处赌身轻
跑到桃花源岸攀手掐一瓣花儿,
于是我把它一口饮了。
我害怕我将是一个仙人,
大概就跳在水里湮死了。
明月出来吊我,
我欣喜我还是一个凡人
此水不现尸首,
一天好月照澈一溪哀意。

五月十三日

---

① 载北平《文学季刊》1934年1月1日创刊号,署名废名,末署"二十年五月十三日"。收入《水边》和《招隐集》。另见废名《新诗讲义——关于我自己的一章》,《天津民国日报·文艺》1948年4月5日第120期。

空　华

我含着泪栽一朵空华，
我还望空观照我一生，
死神因我的瞑目端去我的花盆，
爱神也打开他的眼睛
讶其新鲜茂盛
觅不见一点伤痕，
于是因了我的空华
生为死之游戏，
爱画梦之光阴。

五月十三日

伊

"上帝创世,
但我想上帝他不能知道
我的这棵梧桐栽在窗前,
爱人儿
伊也不能知道
倚着我的梧桐我画昼,——
再添一笔罢?"

五月十三日

画

我不能画一幅画同梦一样,
因为我想世上没有那个颜色呀,
只有太阳画出明日的山水来,
我遇见伊,
那忘记之笔它画了一笔呀。

　　　　　　　　　　五月十三日

伊

光阴好比一面镜子似的,
伊来了
相思的日子圆一个虚幻。

　　　　　　　　五月十三日

花　　露[①]

我知道是夜里，
一心想念朝云，
月儿就在那里寂寞了，
我一望见她
我凄然泪下，
惨淡西子镜，
自挂思维树。

　　　　　　　　　　五月十三日

　　[①] 载北平《华北日报·文艺周刊》1934年4月30日第5期，与《人间》合题为"诗选之四"，署名废名，未署写作时间。

渡

梦中我梦见我的泪儿最好看，
　是一个玩具，
　上帝叫他做一只船，
　渡于人生之海，
　因为他是泪儿，
　岸上之人，
　你别唤他。

梦中我梦见我的泪儿最好看，
　是一个玩具，
　上帝叫他做一只船，
　渡于人生之海，
　因为他是泪儿，
　岸上之人，
　你别看他。

五月十四日

人 间[①]

我的泪是泪海之朵,
恰似池莲
不没于水
水上为仙。

爱神顽皮
时如风至
鼓翼而过,——
我又应该听人间的消息,
仿佛风吹凶吉,
吁嗟乎
无可奈何
花涕泣。

五月十四日

[①] 载北平《华北日报·文艺周刊》1934 年 4 月 30 日第 5 期,与《花露》合题为"诗选之四",署名废名,未署写作时间。

荡　舟

我荡一只船儿
坐到伊那儿去，
水连天，
天连水，
我还吹我的笛儿，
清风徐来，
笛韵悠扬，
水波不兴，
我越荡越看不见人间，
我以为我的路途遥远，
我就歇了我的调儿不唱，
因为它越来越是一个哀调儿，
好像是吹在天上，
最后我想我已经不远，
我已经到了，
我一看两个大字
白水映澈天堂，
于是我歇了我的桨儿

不由得我两泪滴,
上帝他要是牵我进去
他晓不晓得我的灵魂
是伊给我的?
我还不晓得伊在那里。

　　　　　　　　　五月十五日

醉　　歌[①]

余采薇于首阳，
余行吟于泽畔，
嫦娥指此是不死之药，
余佩之将以奔于人生。

五月十五日

[①] 载北平《华北日报·文艺周刊》1934年5月21日第8期，与《诗情》合题为"诗选之七"，署名废名，未署写作时间。

墓[①]

吁嗟乎人生,
吁嗟乎人生,
花不以夜而为影,
影不以花而为明,——
吁嗟乎人生,
吁嗟乎人生,
人生直以梦而长存,
人生其如墓何。

五月十五日

[①] 载北平《华北日报·文艺周刊》1934年4月2日创刊号,与《琴》《画》(嫦娥说)、《画题》《路上》《伊的天井》合题为"琴及其他",署名废名,未署写作时间。又载奉天《盛京时报》1934年4月12日《另外一页》,署名废名。

上帝的花园

伊不在我的花园里,
但总在上帝的花园里,
我想着把我的花园里画一枝佛手,
这一来伊就对我一笑了,
伊总是一个天真的孩子似的,
我想着伊一笑
我就好哭了,
我也还是一个孩子似的,——
这一来伊可不就在我的花园里?
上帝呀,
你的花园好不神秘,
以前伊在那里?
如今我晓得伊在那里,
我却一个人在你的花园里寻寻觅觅,
好像白日里数天上的星似的。

五月十六日

伊

想着伊的去年，
想着伊的十年，
想着伊笑，
想着伊生日，
想着伊一个淘气的小女儿，
想着伊同弟弟闹，
想着母亲责备伊，
想着伊在门口看一只燕子飞，
想着我画一幅画，
想着上帝，
想着宇宙，
想着我自己，
想着伊点一盏灯，
一个人，
不知为什么眉儿那么低下来，
于是我又在白日里看见伊的黄昏了，
我又送伊一个朝晨。

五月十六日

妆　　台[①]

因为梦里梦见我是个镜子，
沉在海里他将也是个镜子，
一位女郎拾去
她将放上她的妆台。
因为此地是妆台，
不可有悲哀。

五月十六日

[①] 载北平《文学季刊》1934年1月1日创刊号，署名废名，末署"二十年五月十六日"。收入《水边》和《招隐集》。另见废名《新诗讲义——关于我自己的一章》，《天津民国日报·文艺》1948年4月5日第120期。

无 题

在赴死之前
得到解脱,
于是世间是时间,
时间如明镜,
微笑死生。

五月十六日

自　　惜

如今我是在一个镜里偷生，
我不能道其所以然，
自惜其情，
自喜其明净。

五月十六日

镜　　铭

我还怀一个有用之情，
因为我明净，
我不见不净，
但我还是沉默，
我惕于我有垢尘。

　　　　　　　　　五月十六日

秋　　水

我见那一点红，
我就想到颜料，
它不知从那里画一个生命？
我又想那秋水，
我想它怎么会明一个发影？

　　　　　　　　　　　五月十六日

果　华

我喜我五色之华

结一树无明之果，

食果者不看华，

见华者常忆华

不认我今日之果，

我还做了一树大荫，

行路人乐其孤寂，

余亦乘风时叹息，

斯为大块之噫气。

五月十六日

壁①

病中我轻轻点了我的灯,
仿佛轻轻我挂了我的镜,
像挂画屏似的。
我想我将画一枝一叶之何花?
静看壁上是我的影。

五月十六日

---

① 载北平《文学季刊》1934年1月1日创刊号,署名废名,末署"二十年五月十六日"。收入《水边》和《招隐集》。家藏稿改题为"点灯",全诗如下:
　　病中我起来点灯,
　　好像起来挂镜子,
　　像挂画似的。
　　我想我画一枝一叶之何花?
　　我看见墙上我的影子。
其中第二行,另一家藏稿作"好像走来挂镜子"。

朝　阳

梦里醒来，
看见窗上一窗日头，
于是我觉着我憔悴，
我的朝阳好似一窗月亮。
于是我嫣然一笑，
我又把它画作朝阳了。

　　　　　　　　　　五月十七日

耶　　稣

耶稣叫我背着十字架跟他走，
我想我只有躲了，
如今我可以向空中画一枝花，
我想我也爱听路上的吩咐，
只是我是一个画家，
一晌以颜料为色，
看不见人间的血。

五月十七日

梦　　中[①]

梦中我画得一个太阳，
人间的影子我想我将不恐怖，
一切在一个光明底下，
人间的光明也是一个梦。

五月十七日

[①] 载北平《华北日报·文艺周刊》1934年5月14日第7期，与《梧桐》合题为"诗选之六"，署名废名，未署写作时间。另见废名《永远是黑暗和林庚》，北平《世界日报·明珠》1936年11月22日第53期，无标点。

无 题

梦中我梦见人间死了,
这个境界正好比一个梦,
伊手上还捏一个东西在那里玩,
偷偷我看了一眼
正是伊给我的光明。

　　　　　　　　　五月十七日

画　　题[①]

我倚着白昼思索夜，
我想画一幅画，
此画久未著笔，——
于是蜜蜂儿嗡嗡的催人入睡了。
芍药栏上不关人的梦，
　闲花自在叶，
　深红间浅红。

五月十七日

[①] 载北平《华北日报·文艺周刊》1934年4月2日创刊号，与《琴》《画》(嫦娥说)、《墓》《路上》《伊的天井》合题为"琴及其他"，署名废名，未署写作时间。又载奉天《盛京时报》1934年4月12日《另外一页》，署名废名。

拈　　花

我想我走过的山林我应该不怕，——
我不晓得我真个不怕了，
　　遗世而独立，
　　微笑以拈花。

　　　　　　　　　　　　五月十七日

沉　　埋

我不愿我的镜子沉埋，
于是我想我自己沉埋，
我望着镜子一笑，
我想我是一泪。

五月十七日

莲　花

莲花落水夜无影，
明镜如水净无身，
白日当天
余大地游行，
余有身而有影，
亦如莲花亦如镜，
神仙乞露效贫儿，
余将死而忠于人生。

　　　　　　　　五月十七日

路　　上①

路上我看见一个好树影，
我想我打一把伞，
我画它为一生，
我不晓得菩提树影怎么样，
我想我是一把莲叶伞，
我想莲叶是花之影。

　　　　　　　　　　　　五月十七日

---

① 载北平《华北日报·文艺周刊》1934年4月2日创刊号，与《琴》《画》(嫦娥说)、《墓》《画题》《伊的天井》合题为"琴及其他"，署名废名，未署写作时间。又载奉天《盛京时报》1934年4月12日《另外一页》，署名废名。

梦 中

梦中我梦见水，
好像我乘着月亮似的，
慢慢我的池里长许多叶子，
慢慢我看见是一朵莲花。

五月十七日

池　岸

远天悠悠白云，
近水田田莲叶，——
一足白鹭飞了。
于是我乃笑了，
我是想着伊一定爱那一朵花
出脱得好看，
轻手一指，
所以我就添了一点景致。

　　　　　　　　五月十七日

梧　　桐①

我望着我的梧桐好一颗大叶儿，
于是我仿佛想到一个仙人，
我的这个仙人就好像一株树，
一颗叶儿一颗露水。

　　　　　　　　　　　五月十八日

---

① 载北平《华北日报·文艺周刊》1934年5月14日第7期，与《梦中》(梦中我画得一个太阳)合题为"诗选之六"，署名废名，未署写作时间。

伊的天井①

想着伊望空指一下，
"那是一颗什么星？"
于是我就想到夜的神秘，
它怎么会画那么一幅好画？

五月十八日

---

① 载北平《华北日报·文艺周刊》1934年4月2日创刊号，与《琴》《画》（嫦娥说）、《墓》《画题》《路上》合题为"琴及其他"，署名废名，未署写作时间。又载奉天《盛京时报》1934年4月12日《另外一页》，署名废名。

太 阳[①]

太阳说,
　"我把地上画了花。"
他画了一地影子。

　　　　　　　　　　五月十八日

[①] 另见废名《说人欲与天理并说儒家道家治国之道》,《哲学评论》1947 年 8 月 11 日第 10 卷第 6 期,署名冯文炳。

赠

梦中我采得一枝好花,
我还说我画个瓶子把它插起来,
伊笑道,
　"你这梦我很喜欢。"
我想我这花是一份赠品。

梦中我画得一幅好画,
我想明天早晨我一定好好的展开看一看,
伊笑道,
　"你还是做了一个梦!"
我说"我这画是赠给你的。"

五月十八日

花　　盆[①]

池塘生春草,
池上一棵树,
树言,
　"我以前是一颗种子。"
草言,
　"我们都是一个生命。"
植树的人走了来,
看树道,
"我的树真长得高,——
我不知那里将是我的墓?"
他仿佛想将一钵花端进去。

　　　　　　　　　　五月十八日

[①] 载北平《水星》月刊 1934 年 11 月 10 日第 1 卷第 2 期,署名废名,未署写作时间。

歌颂篇三百首

手稿,作于1959年3月1日至5月10日,署名冯文炳。共16章300首,其中《一　前言》20首、《二　半封建半殖民地》17首、《三　歌烈士》15首、《四　优先发展重工业》15首、《五　抗美援朝》10首、《六　矛盾论颂》20首、《七　再颂矛盾论》5首、《八　整风和反右》13首、《九　大字报赞》14首、《十　跃进篇一》27首、《十一　跃进篇二》40首、《十二　妇女篇》36首、《十三　赞五员》16首、《十四　知识分子改造》27首、《十五　伟大的教育革命》15首、《十六　人民公社好》10首。

一　前言

1

长征二万五千里，
中国红军是真奇。
再到一九四九年，
天安门上一霹雳：
"中国人民站起来了！"

2

天安门，古城墙，
红旗一日天下扬，
帝国主义者发抖，
举世之人齐思量。

3

思量此事不容易,
道理不载在古籍,
民族英雄毛泽东,
马克思主义东风起。

4

论矛盾,两类分,
前分敌我后人民;
知识分子工农化;
思想解放大跃进。

5

辩证唯物是整套,
还有教育方法好,
自我批评和批评,
人民民主大字报。

6

举世之人想一想,

中国于人有何妨？
中国人民有信心，
台湾一定要解放！

7

毛泽东思想讲到底，
实践属于第一义，
领导革命和建设，
日出东方照大地。

8

歌颂祖国歌颂党，
歌颂毛主席像太阳；
谁把中国叫醒了，
十月革命一声炮响。

9

所以歌颂我列宁，
还要歌颂斯大林，
主要是在思想上，
中国革命有灵魂。

10

党告人民第一声，
帝国主义是敌人，
这座大山不推翻，
人民永远不翻身。

11

敌人伪装是文明，
错把虎狼认先生，
孙中山贤不能免，
最后深知俄国亲。

12

群众智慧分得清，
中国里面有三层：
百姓怕官官怕洋，
洋人最怕老百姓。

13

宝贵经验谁总结，

义和团流百姓血。
卖国条约官签订,
吓倒于它炮舰政策。

14

轮船火车罕不罕?
声光化电难不难?
还有政法也要学,
外洋回来做大官。

15

头戴花翎脚朝靴,
人身装成一匹马,
点上洋灯读线装,
再买洋纱织的洋袜。

16

半殖民地半封建,
马克思主义妙指点,
这是后话且不表,
只说西洋和我远。

17

美国鬼子更聪明,
大办清华生意经,
人民血汗养洋奴,
回国知有美国亲。

18

"中国不亡无天理",
洋奴甘心做奴隶。
党在最危险的时候,
高呼打倒帝国主义。

19

一九二一到今天,
一九四九是十年,
近百年史今易读,
一句金言倒一边。

20

歌颂篇,歌颂篇,

老汉心事万万千,
要为青年歌颂党,
以上一篇是前言。

二 半封建半殖民地

1

要问什么叫封建?
红领巾听说看不见。
洋船海关和租界,
今天说起更茫然。

2

不知这些不知仇,
不知这些不知忧,
不知这些不知耻,
不知党的恩情厚。

3

如今一片干净土,

群众路线任我走,
谈何容易说这话,
革命成功不夸口。

4

中国人多盖全球,
过去农民像瘦牛,
占总人口五分四,
茅屋又如丧家狗。

5

地主豪绅尽华厦,
乡乡县县有大家,
绿野当中最眩目,
出门美眷又如花。

6

四库全书集部多,
阶级烙印田家乐,
辽金元清进来了,
读者过考一样阔。

7

故宫照片太可气，
太监、太后还有溥仪，
他们这一群傻瓜，
统统就是地主阶级。

8

二十四史加近代，
革命首先要土改，
劳动人民起来了，
各国鬼子远离开。

9

原来上海和汉口，
鬼是人间我地狱，
码头工人卸洋货，
我身好像无骨肉。

10

驮在背上只不爬，

衣如沟泥肤如蛇,
听听都是中国人,
说话之人国无家。

11

夜晚露睡"中国街",
表示租界进不来。
"中国"二字在中国,
等于租界好奇怪。

12

不把咱们人算人,
上海外滩公园门,
挂着牌子叫人看:
"狗与华人不能进"……

13

我人就是苦工多,
苦工就是卸洋货;
长江号泣向着天,
怡和、太古、大阪天天过。

14

那时长江美国佬,
花旗银行外军号,
军号因为有军舰,
江上无端吹起了。

15

半殖民地说长江,
老汉当年事不忘,
又爱《可爱的中国》,
烈士遗篇意义长。

16

另个原因要奉告,
今日诗人黄声孝,
他是宜昌装卸工,
主人公感比江潮。

17

他在北京见主席,

即席诗篇动天地，
此事真堪告青年，
新旧中国作对比。

三　歌烈士

1

台湾辱国蒋介石，
提起他来发欲指，
古今坏事集一身，
人都叫他蒋该死。

2

《我的一家》千万家，
蒋介石"清党"杀杀杀，
当时猖獗首两湖，
所以陶妈妈记长沙。

3

老汉家住在湖北，

想起都是布尔塞维克，
除了革命无生命，
共产党员就是血。

4

残酷斗争把血流，
人是红心蒋是狗，
青年枪决城不悲，
家在乡下死汉口。

5

家中老母望儿归，
渐渐知道儿不回，
一生再不说句话，
拄着拐棍提井水。

6

一个母亲住在山，
屋后是片大竹园，
村农知道她心事，
一棵竹子总不砍。

7

这棵竹子是儿子,
竹上刻了红军字,
后来保长知道了,
逼死媳妇婆气死。

8

当时黑暗白日行,
白日扼杀中国魂,
中国青年的左派,
但留事业不留名。

9

欧阳立安诸烈士,
健儿都是夜杀死,
蒋介石后来的手段,
《我的一家》有文字。

10

我们还是说"清党",

一个县里三个乡，
三乡几年人烟少，
逃作丐妇归无郎。

11

三乡离城四十里，
有的山高有的低，
山高老农薰洞死，
后来发现如低头泣。

12

三乡青壮用绳牵，
省的机枪县的鞭，
押到城外叫站住，
北门山上暗无天。

13

头颅抛却心头怒，
中国农民知死由，
杀我杀你再杀你，
哥哥你死在我后！

14

杀人排队为无刀,
要杀不用机枪扫,
革命是从刀山过,
今日青年哪知道。

15

老汉记得这个山,
后来又爱刘胡兰,
毛主席题八个字,
美丽山河英雄胆。

四　优先发展重工业

1

空前统一的中国，
这话说起了不得。
青年也许觉奇怪，
事实如此有啥说？

2

优先发展重工业，
老人乍听耳不悦，
中国本来是落后，
共产党有啥妙诀？

3

中国从前不一心，

孙中山难得到北京。
如今因为党领导,
各族人民一家亲。

4

统一就是大幸福,
党的功勋第一句,
越是年纪大的人,
越信此言之不虚。

5

心里忽然落了空,
科学落后有啥用?
谁不梦想工业国,
满清以来不成功。

6

这就说到哲学上,
辩证唯物是武装,
指导革命和建设,
细心体会一桩桩。

7

统一幸福已认的,
它是革命的功绩,
再从土改来说起,
没有土改谁有土地?

8

土改之后合作化,
农村合作城不怕,
不怕工商业造反,
自己命运你自己拿。

9

和平改造事辉煌,
举世惊服中国党,
毛泽东思想本一贯,
共同纲领共同商。

10

一论再论在此后,

中苏政体一范畴，
专政实质无产阶级，
中国事情具体做。

11

如今经济按计划，
六亿人口是出发，
优先发展重工业，
农业跟着机械化。

12

至此令人皆明白，
工人政权一取得，
事情一步一步做，
中国定是工业国。

13

一般头脑是唯心，
不知唯物并辩证，
若照唯心伪科学，
先替资本家搞利润。

14

老年至此尽心服，
满清以来老糊涂，
糊涂帐报青年听，
毛主席心中有数。

15

所以我们学哲学，
重工业建设是一课，
歌颂歌颂学苏联，
青年不知老年乐。

五　抗美援朝

1

一桩大事不先述，
大事只好当插曲，
闯到门口自挨揍，
纸老虎有苦说不出。

2

首先要向英雄敬，
中国人民志愿军，
抗美援朝功不朽，
顶天立地真正"人"！

3

从此世界大改观，

发动战争有些难。
从此中国解放后，
桩桩大事件件办。

4

当时千载一时机，
指挥若定毛主席，
战略战术处处用，
朝鲜战场应第一。

5

个个英雄个个歌，
歌声飞过鸭绿波，
直到凯归奠壮士，
青年知有毛哥哥。

6

中国男儿黄继光，
烈士之名天下扬，
将身扑到炮口去，
生命就是打胜仗。

7

人人记得上甘岭，
应戒见物不见人，
美帝炮弹天文数，
削山不过两尺寸。

8

英雄阵地就是山，
智慧化身又有胆，
一切艰难付微笑，
就是口渴舌头干。

9

人无水喝还有尿，
战士欢喜有饮料。
慰问投来一苹果，
一人一口共让了。

10

一颗苹果万万心，

祖国遥远念我们,
祖国建设日千里,
抗美援朝守大门。

六　矛盾论颂

1

一盘散沙喻中国，
讲起话来桌子拍，
清末民初不少数，
小资产阶级有狂热。

2

孙中山经验四十年，
"唤起民众"言也善，
就是内容是什么，
中山亦不甚了然。

3

机会主义又出头，

认为工农无程度，
中国革命两次革，
这次只有投降去。

4

这样一来真是沙，
帝国主义坐沙发，
谁能真正听使唤，
挑他做个大军阀。

5

东方出了毛泽东，
一面大旗摇东风，
农民运动搞起来，
一来就是红旗红。

6

湖南农民纷纷是，
红旗之下写名字，
毛泽东说："好得很！"
列宁早计东方事。

7

"生的伟大"后来话,
气魄之大盖天下,
另外就是"好得很",
三字风格此一家。

8

所以伟大是阶级,
农民革命最有力,
如今有了共产党,
革命犹如虎附翼。

9

当时群龙尚无首,
机会主义是匹狗;
失败并没有失败,
后来成功照路走。

10

还有毛选第一篇,

分清敌我集中言,
说来已经成常识,
最早真真表灼见。

11

今日思来教育大,
唤起民众有办法,
三个敌人四个我,
中国并不是散沙。

12

赞成革命就是我,
经济决定无其它,
怀疑每是唯心者,
听说革命有些哆嗦。

13

如此世界怕革命,
所以批判唯心论,
不少之人经过了,
始信基础和上层。

14

毛选第一第二篇，
一遍一遍读不厌，
给人力量实无穷，
辩证唯物这里见。

15

旧著如新新又有，
三十年后变范畴，
一听矛盾论内部，
好心之人大不足。

16

人民内部有矛盾，
敌我再到哪里分？
多年教育讲立场，
今日敌我改了论！

17

这样好心没有用，

积极因素调不动,
若问敌我哪里分,
马上右派之雄雄。

18

人民内部矛盾论,
乃是行动指南针,
表示政权巩固了,
以下还有大工程。

19

云雾拨开见太阳,
中央总是万丈光,
整风接着又反右,
两类矛盾都内行。

20

矛盾论的新发展,
实是当今天下篇,
新人耳目动人心,
马克思主义太新鲜。

七　再颂矛盾论

1

人民内部矛盾论，
一颂犹有未尽情，
进步人类有了它，
玄学绝对扫威信。

2

且拿东方来作证，
东方圣人最迷人，
其实他讲的道理，
统治阶级内部论。

3

阶级斗争真历史，

中国空有孔夫子，
农民不要他的话，
他本不是农民师。

4

仁义道德几千年，
敌我矛盾一揭穿，
人民眼睛雪亮了，
消灭剥削不共天。

5

中国社会已到此，
人民利益是一致，
内部矛盾指出来，
伟大领袖我导师。

八　整风和反右

1

天堂地狱讲灵魂，
无产阶级最干净，
好比机器要生产，
个人是个螺丝钉。

2

螺丝关系实在大，
为着机器要说话，
眼看螺丝生锈了，
伟大的党救人吧！

3

党的纪律无价宝，

小组开会方法好,
十目所视十手指,
不追责任把思想搞。

4

一切都是党作用,
一大山脉山万重,
集体领导通空气,
中央北京吹春风。

5

整风就是春风吹,
人人头上有一回,
吹来生气最难得,
一惧一喜自体会。

6

惧是个人喜集体,
个人顾虑太不必,
共产党员令人敬,
人民利益是第一。

7

九洲生气恃风雷,
五七年春最有味,
妖风乘着春风起,
马上就令归原位。

8

右派自己出风头,
扬言局面我来收,
自言自语太可笑,
又说党是有阴谋。

9

工人不把传单印,
农民接着就进城,
借问右家何处是?
小学生指他的门。

10

犯了众怒不可当,

原来天下就是党。
知识分子多中间,
数目虽大气不壮。

11

中间分子要争取,
向党交心是美举,
再来一次梳辫子,
谁的西瓜大如许。

12

西瓜本是整风园,
谁知又种交心田。
整风园里抱西瓜,
这个果实甜不甜?

13

整整一年风告静,
党的教育海样深,
在这整风基础上,
全面来个大跃进。

九　大字报赞

1

大字报，大字报，
民族形式是真好，
西方说咱不自由，
真正自由大字报。

2

它的形式像放炮，
门口点着天上到，
初来红纸动人目，
后来满地不准扫。

3

放它不是为游戏，

主要为得是送礼，
艺术空气总该有，
改进工作要压力。

4

大字出报像杆秤，
群众都要称一称，
没有分量好心见，
立场不对就不行。

5

立场不对也何妨，
反面教员你来当，
党的领导是绝对，
群众眼睛总不慌。

6

经过整风和反右，
更多运动更在后，
一张大字由人贴，
人民民主出金口。

7

如今中央有制度，
任何地方都准许，
就是夫子之墙高，
满门桃李贴上去。

8

越思越想不寻常，
感谢老师共产党，
中国人民学政治，
都由外行变内行。

9

创造民国孙中山，
国会人民不喜欢，
不知搞的是什么，
一批议员去做官。

10

什么自由不自由，

人民叫它做柿油，
茶馆喝茶当街坐，
莫谈国事谨防口。

11

五星红旗教民主，
人民代表会选举，
工农当然选模范，
民主人士分队伍。

12

一颗大星表集中，
工人阶级有先锋，
人民心中都有数，
民主集中容易懂。

13

写张大字不费力，
白字、代写都可以，
如此自由破天荒，
中国人民最欢喜。

14

如此自由毫不洋,
那个柿油是说谎,
群众中来群众去,
伟大只有共产党。

十　跃进篇一

1

中国农村大跃进，
外国报纸不肯信，
介绍一首《送粪曲》，
各国诗人请来评。

2

政治标准是第一，
我们向来不客气，
听此农民粪之歌，
让步可先赏文奇。

3

不是我们开玩笑，

跃进民歌实在好，
送粪诗人出李杜，
表明干劲比天高。

4

诗人诗写送粪曲，
武松阳谷亦养猪，
此县素不讲此事，
如今养猪比打虎。

5

诗人也有饲养篇，
自己编曲唱不完，
可爱肥猪赛小象，
事载桓仁文化馆。

6

中国特点就是穷，
因此劳动要英雄，
看看去年的抗旱，
大汗如雨笑晴空。

7

去年粮食翻一番,
不要忘记大旱天,
人人上阵打头阵,
瓢瓢清水像炮弹。

8

穷则思变要革命,
河水要它上山行,
悬崖绝壁不点头,
有人黑夜摸门径。

9

看他真正像愚公,
信有领导有群众,
襄阳河水上山事,
敢想敢干就成功。

10

高高梯田上到天,

犁地女儿兴不浅,
看她唱歌比织女,
笑他牛郎不是仙。

11

黄河要跟长江赛,
亩产千斤比比来,
一年之间跑过万,
千斤毋乃口小开。

12

报上登了一照片,
无非为得人人羡,
两个孩子坐田上,
金稻犹如金銮殿。

13

正是一年收割时,
世界注目中国事,
一张照片天下传,
八字宪法要如此。

14

棉花增产亦加番,
渭南秋香好稀罕,
她从原来亩四十,
二千九百九十三。

15

棉花姑娘田桂英,
亩产五千七百斤,
新闻记者要访她,
一片棉林听声音。

16

棉花林里歌声亮,
桂英却把记录忙,
一边文字一边画,
生产经验都在上。

17

棉田千亩望如海,

棉桃个个似雪开,
要记英雄为抗旱,
不知有家三十天。

18

五八一年建水利,
惊天动地鬼神泣,
灌溉扩大五亿亩,
一年等于几千岁。

19

从前就是怕涝旱,
活着喊靠天吃饭,
要像去年三百天,
旱死还谈什增产?

20

一年力量就胜天,
干部群众拼命干,
只有中国共产党,
每个运动呈壮观。

21

谁将水利用笔勾,
牵藤、结瓜、网不收,
还有机井、自流泉,
到处水白不白流。

22

"兴修"接着办工厂,
农民办厂好商量,
说时嫌迟那时快,
一下迁佛出庙堂。

23

新的基础打进去,
旧的上层真有趣,
泥像不知何处是,
机器运来运进屋。

24

下年炼铁又炼钢,

一直炼到蜡梅香,
完成任务还不说,
同时勘出有铁矿。

25

一个地方名铁岭,
一个老汉逾八旬,
不知铁岭就出铁,
他是岭下卖茶人。

26

一冬之间修马路,
边修边运矿石头,
烧茶今日归公社,
铁岭成了小汉口。

27

只因纲要四十条,
再加办厂有号召,
再加全民炼钢铁,
农民思想解放了。

十一　跃进篇二

1

中国有了共产党,
中国农民有力量,
工人阶级世界观,
工农联盟铁和钢。

2

新生事物要人见,
一经有之天不变,
工人运动在中国,
最初如看晨星天。

3

晨星在天比少数,

中国经济是落后，
先进分子看见了，
新兴阶级定带头。

4

二十四史没有它，
农民革命无办法，
如今世界它多数，
俄国已经坐天下。

5

先进思想俱实现，
时间将近四十年，
当时少数今老矣，
今天工人处处先。

6

农民虽比工人多，
农民自己信大哥，
大哥虽然是后生，
历史使命慨然荷。

7

这个空气到处是,
头脑清醒感觉之。
又来介绍一首歌,
歌在工人起重时:

"嗨唷!嗨唷!齐声唱,
千斤钢板轻轻扛,
脚上踏出上天路,
历史重担肩上抗。"

8

如此歌声令人思,
中国机械尚嫌迟,
正是中国的特点,
转教工人不迟疑。

9

最近苏共党大会,
赫鲁晓夫讲得对,
他说我们进共产,

大家可能在一回。

10

苏联大哥帮助我,
主要还是靠自个,
脚踏实地上天梯,
上海工人起重歌。

11

友谊之花折一枝,
长江大桥最美丽,
阵阵列车轰过江,
龟山蛇山深记忆。

12

记得技术传先进,
更要记得斯大林,
在他最后著作里,
表示真正帮助心。

13

如今自己会整套,
计划就建南京桥,
将来中国长江上,
学习道路是一条。

14

再说中国的特点,
集中表现总路线,
只因主席识人心,
就有一九五八年。

15

一个瓦工名朱迪,
一颗红心太欢喜,
一听宣布总路线,
瓦刀就是五色笔。

16

童话名家安徒生,

赤心难比我工人,
朱迪瓦刀歌跃进,
转眼烟囱入霄云。

17

朱迪工地黑龙江,
再听青海好歌唱,
戈壁滩上无花草,
勘探齐唱油花香。

18

整个盆地都踏遍,
中国宝藏要见天,
耽心骆驼无水喝,
自己每天不洗脸。

19

不洗脸人见天蓝,
清晨无风大可观,
定额测量八公里,
三十二里抢时间。

20

昆仑山上吹口琴,
北京越远越亲近,
要给原油安翅膀,
毛主席此时闻一闻。

21

主席号召赶英国,
好像话是当面说,
确是工人责任重,
个个心里惦功课。

22

有个钢厂雄赳赳,
笑它英国约翰牛,
这匹老牛走不动,
怕听一声狮子吼。

23

铁路工人比翅膀,

不离轨道飞地上，
运输数字日日翻，
要把英国甩一旁。

24

土洋并举好办法，
丢掉农村太傻瓜，
乡下如不办工厂，
可惜人多和地大。

25

一年之间看丹阳，
丹阳还是原地方，
只因采用小土群，
雨后春笋出工厂。

26

木工、铁工、翻砂工，
都是原来手艺农，
茅庐访出他们来，
车圆、刨平和钻孔。

27

五亿农民在田里，
此事真是不经济，
车、刨、钻空有群众，
机器零件不神秘。

28

神秘思想打破了，
这是问题之主要，
机器既然不神秘，
它就一定做得到。

29

丹阳先办机械厂，
接着地方工业网，
中国农村办工业，
赶英之势不可当。

30

土洋并举意义大，

土弟洋哥渐一家,
阜阳先制土机床,
后来洋化产马达。

31

材料困难亦是苦,
穷汉穿衣不笑补,
小洋高炉缺钢板,
就用铁皮加铁箍。

32

主要一件鼓风机,
其余乡村有代替,
缺乏水泥和钢筋,
青石可喜打炉基。

33

小洋高炉一批批,
投入生产如画里,
记起主席的言语,
一穷二白真美丽。

34

中国人民志气豪,
欲与天公试比高,
多快好省富诗意,
不信"造成紧张"了。

35

有个洋厂亦变样,
大洋变了好风光,
原来年产是三万,
跃进一十五万辆。

36

就是长春汽车厂,
向来大事纸一张,
工人按着图纸做,
此图不许百花放。

37

跃进浪潮到来了,

转向器壳首吹号,
一个小组十八人,
二百九十张大字报。

38

关键问题全摆开,
工时定额首先改,
一十五分一件工,
一分七秒做出来。

39

工人都来参设计,
技术人员受教益,
简易机床流水用,
万能英雄失阵地。

40

三万一变十五万,
多快好省非等闲,
事业跃进人跃进,
万丈光芒总路线。

十二　妇女篇

1

共产党，是亲人，
中国妇女认得真，
千年压迫亲身受，
要说翻身就翻身。

2

妻子不信丈夫是，
女儿不信父亲慈，
见了亲人共产党，
解放事业信有之。

3

首先不要人卖淫，

接着婚姻法令行,
一块石头落了地,
中国男女是平等。

4

主要还是劳动权,
青年妇女心里算,
只要政府有号召,
不怕男子敢当先。

5

妇女要做工农兵,
一言道尽女儿心。
进步怎么这样快?
解放事业本来真。

6

美帝如果逞妄想,
敢于发动侵略仗,
就是中国女民兵,
也要缚住野心狼。

7

中国人多就是多,
如今妇女壮山河,
站岗放哨家常事,
背着枪杆乳乳儿。

8

人人知道巧姑娘,
事出晋城米山乡,
旱山打出清水井,
三个女儿有力量。

9

米山三千多口人,
从来三眼吃水井,
常年担水要排队,
哪里有水叫山青?

10

当其看见清水时,

人人伸出大拇指，
望着三个巧姑娘：
"你们真是了不起！"

11

井底姑娘也乐水，
赤着胳膊冻着腿，
三人坚持党支持，
打退保守现宝贝。

12

初春打井打头阵，
马上又参水利军，
秋收梯田十五亩，
米山真是美山村。

13

再说一名女状元，
禹县大禹郝凤仙，
县委红旗接在手，
鸠山顶上扎营盘。

14

鸠山扎营为治水,
十八岁姑娘做领队,
婚期来了未婚夫,
凤仙佛手笑不归。

15

"已向鸠山把愿许,
要它下雨不怕雨,
鸠山一日不治好,
红颜变做白毛女!"

16

感动女婿当队员,
人人发誓不下山,
十二山头葫芦套,
拔海一千三百三。

17

雨在鸠山一条龙,

小下就活大下动，
洪水如果下山了，
人太无能水太猛。

18

治水开始五六年，
五七年春就安然，
倾盆大雨尽管下，
大雨鸠山稳坐船。

19

一个老年到处走，
大鱼小鱼满山有，
不是鱼来不是鱼，
鸠山尽是水坑浮。

20

苦干巧干一冬天，
鸠山改名英雄山，
一面红旗高挂起，
治水模范女凤仙。

21

如今光说青壮年,
三字意义不完全,
看在积肥运动中,
女青壮队占一半。

22

穆桂英,刘胡兰,
英雄队伍夺肥关,
壶关县里一个村,
一人一天六百担。

23

湘潭专区十个县,
七十八万无有男,
姊妹声中风格异,
共产主义天地间。

24

声势浩大肥先锋,

绣花移在麦田中,
寒风日夜勤换补,
一类苗化要成功。

25

河间有块千亩地,
一支女队专管理,
三八节前三浇水,
绿野无边密密意。

26

四川争传麦姑娘,
大风大雨通宵忙,
可爱中国好儿女,
要它麦笑见朝阳。

27

再看云贵高原上,
汽车司机五姑娘,
不挂拖兜就哭闹,
重载转而静女样。

28

滇黔、川滇日夜驰，
站站有人争看奇，
南国千花万花山，
"姑娘车"停山亦立。

29

炎热日子运红糖，
回头又装红薯秧，
四川蓝田到古蔺，
夜晚两点跑一趟。

30

坡大路窄不好走，
一边是山一边沟，
为怕薯秧放烂了，
夜深狼嗥汽车吼。

31

"十大姐"故事出天津，

动力机厂穆桂英,
十人一张大字报,
跃进当中将一军。

32

接着大哥和老将,
挺身而出十来当:
"谈何容易穆桂英,
机厂乃是搞机床!"

33

"十大姐号"订机床,
战表提出老将慌,
应战之书贴上去,
还有支援一大张。

34

十老将和十大哥,
跃进计划都超过。
"十大姐号"十大姐,
学会复杂精密活。

35

一个消息最惊人，
黑龙江妇女有雄心，
扫盲毕业马士范，
就要学习实践论。

36

这个气魄真不小，
妇女懂得哲学好，
思想武装更武装，
毛主席学生我来了。

十三　赞五员

1

再来一篇歌五员，
歌的都是女神仙，
此曲只应天上有，
勤勤恳恳在人间。

2

叫人忘记有病苦，
今天医院女看护，
全心全意为病人，
受了安慰受教育。

3

从前医院重阶级，

看护也最讲势利,
人的灵魂都变了,
主要完全是政治。

4

处处想起共产党,
躺在医院也要想,
如今真是不要家,
一群女儿白衣娘。

5

孕妇可以坐火车,
无牵无挂笑呵呵,
自己大意人注意,
就在车上生一个。

6

注意之人车务员,
学会接生在车间。
坐车一趟记得她,
解放军在最前线。

7

人人要她留纪念,
天天车上道再见,
一年接到多少信,
报上登了她照片。

8

人民食堂去吃饭,
女营业员好喜欢,
位置虽多人太挤,
她们心照又面见。

9

有时开会赶时间,
告她她就心里算,
如梭去了来的快,
一饭给你以安闲。

10

感谢食堂营业员,

没有一点职业感，
关心胃口照顾人，
她们真个像神仙。

11

神仙也在百货店，
柜台上面现欢颜，
看货买货如流水，
群众还要提意见。

12

意见簿上有题诗，
题的生意如春时，
逢着星期不游园，
买货不觉出门迟。

13

政治空气演艺术，
利益一致奠基础，
表现百货商店里，
乃有神仙来服务。

14

为把时间安排好,
办公之前宜看报,
绿衣女儿车如飞,
正看花开报送到。

15

报纸发行有计划,
看报只是眼巴巴,
订报日子忘记了,
到时女儿进你家。

16

进门一笑写收条,
她的眼光妙又妙,
表示刻刻都是忙,
此刻多忙此一遭。

十四　知识分子改造

1

共产党,要感激,
还有领袖毛主席,
改造思想这件事,
巧夺天功显真理。

2

要把此事说一遍,
"治病救人"有名言,
如何之病如何治,
人生在世不简单。

3

知识分子偏讳疾,

自高自大又自欺，
革命胜利无奈何，
自己又最知自己。

4

知道自己有丑事，
有丑便应把头低，
所有他们的哲学，
偏偏教人会粉饰。

5

其父攘羊子证之，
模棱两可孔夫子；
牧师跟前许忏悔，
忏悔什么上帝知。

6

神秘其实不神秘，
对剥削者有利益，
历史发展到今天，
无产阶级起而立。

7

真理面前要低头,
共产主义往前走,
知识应该有用处,
就看包袱怎么丢。

8

能够低头就松轻,
意识形态日日新,
思想改造有规律,
先把政治问一问。

9

谁能通过无问题,
三敌你都有关系,
往常自己最清高,
今日一样寡脸皮。

10

脸皮撕破头就低,

立场改变尚不易，
总之有了温暖感，
懂得人民需要你。

11

另外懂得两件事，
一是领导一教师，
领导只有共产党，
教师包括你自己。

12

别人揭你你揭人，
所以教师你有分，
济济多士聚一堂，
无产阶级是天平。

13

一杆天平公又公，
清高到此不自重，
可见只有共产党，
政治品格天下风。

14

三敌思想分清楚,
思想改造第一步,
从此进步可以谈,
说话渐有共同语。

15

统统把它包下来,
人民事业吃得开;
各自站在岗位上,
能够立功立功哉!

16

知识分子像旧商,
青年面前又装样;
今日凡事要摸底,
马克思主义最内行。

17

不少青年受其骗,

认为"专家"大可羡，
目中几乎没有党，
只听"权威"之一言。

18

其时工商皮不存，
知识分子毛徒纷，
反右斗争胜利后，
强大基础逼上层。

19

形势逼人要交心，
工农跃进大跃进，
知识分子破产了，
一点知识赔了本。

20

赔本之话怎么讲？
原来自居是内行，
工人阶级需要我，
我有资本要挟党！

21

八大文件有分析，
知识分子原阶级，
所以叹惜赔了本，
岂不又要把头低？

22

另外还有一件事，
零星也有些知识，
给了青年亦有用，
总支领导编讲义。

23

一贯没有教科书，
集体编写计日出，
啼笑皆非老教授，
立场观点是新物。

24

至此确实无话说，

思想改造进一着,
全面跃进有要求,
脱离实际上不了课。

25

脱离实际和群众,
知识分子就无用,
究竟什么叫知识,
主席指出有两种。

26

想想以前太不行,
表面读读实践论,
及今思之多惭愧,
必须弃暗以投明。

27

治病救人太分明,
人的人格是工人,
人民政权不失业,
拍马吹牛概不闻。

十五　伟大的教育革命

1

思想改造变旧人，
党的恩情深又深，
历史任务更提出，
教育根本要革命。

2

"过去见虫就喜悦，
因为是学昆虫学；
下放农村锻炼后，
见了虫子想到叶。"

3

下放教授出此言，

表示科学为生产；
资产阶级伪科学，
则是帮凶细菌战。

4

教育本来属上层，
"孝弟其为仁之本"，
"不好犯上""不作乱"，
奴隶社会就太平。

5

上见论语上半部，
说破上层为基础；
下论明言不学稼，
生产归于"小人"数。

6

可叹六经和诸子，
能有几何算知识？
还有帝王之家谱，
就是一部廿四史。

7

真正知识在何处？
好比百草尝味苦，
不是有谁叫神农，
群众智慧和工夫。

8

再从文学方面看，
千载杰作在民间，
前有孔雀东南飞，
后有水浒英雄传。

9

只有语言和逻辑，
那是全民公共的，
其余剥削者文化，
美人、玄学两大类。

10

对待人类文化史，

资产阶级善估之，
不可估得太高了，
长他威风灭自己。

11

所以迷人是数量，
剥削阶级统治长，
文化之权占去了，
知识都记他的帐。

12

实事求是不如此，
应从劳动出知识，
将来体力和脑力，
合成知识两条腿。

13

未来历史几多年，
不是数学所能算，
未来社会可决定，
劳动时间减又减。

14

那时社会是花园,
百花齐放美春天,
普通劳动者姿态,
百家争鸣而出现。

15

伟大光荣正确党,
教育革命破天荒,
大事虽然正开始,
势如破竹不可当。

十六　人民公社好

1

只要是我中国人,
其人包括古和今,
孔夫子到康有为,
人民公社定赞成。

2

只有美国杜勒斯,
犬吠尧天舜日事,
破口大骂我公社,
我建公社他气死。

3

其中道理易明白,

人民公社了不得,
我如旭日正东升,
所以美帝首夺魄。

4

公社建成那么快,
一年之间如等待,
生产关系、生产力,
跃进一下社就来。

5

土改以前无土地,
土改以后小面积,
合作化有优越性,
农村还是小天地。

6

中国农民认得真,
海阔天空任我行,
为啥束缚着自己,
不把事业进一层?

7

党就看出美意愿,
首先"吃饭不要钱",
中国人民相信党,
参加公社保了险。

8

公共食堂、托儿所,
中国妇女笑呵呵,
锅灶旁边走出来,
共产党是好公婆。

9

从此地大和人多,
一穷二白好快活,
共产主义齐奔赴,
增产节约第一着。

10

唯一之事是教育,

此外更无啥束缚,
孔夫子到康有为,
毛泽东思想应信服。

1959年3月1日至5月10日

集　外

共 70 题 84 首,其中 1949 年前 64 题 77 首,1949 年后 6 题 7 首。废名书信中的诗歌,本卷酌收。

小　　雀①

下课之后,
我笑嬉嬉的朝花园里走。
忽而——眼闪,心惊,
好像当前落个什么!
原来一只小雀儿沿着竹篱啄泥土。
我顿把步子停了。
刚停着,他也飞了。
我的视线循着他的飞程,直到看不见他。

---

① 据中国社会科学院中国历史研究院图书档案馆胡适档案所藏冯文炳手稿(简称"胡适档案藏稿")。此诗及《小猫》《冬晚》《算命的瞎子》《小孩》《夏日下乡途中所见》《夏夜》《京寓杂感》《追记去年在县城经过牢狱所感》《小孩》《美丽的小姑娘》《风暴的晚上》《〈努力〉》等12首,均附于1922年9月11日冯文炳致胡适信后,诗前有"诗　以做的先后为序"。其中,《冬晚》仅存题目,正文被撕去;第一首《小孩》有改动,疑出自胡适手笔;第二首《小孩》前半截被撕去,后半截作为《杂诗》之"六"前半部分(分行略有不同),载上海《诗》月刊1923年4月15日第2卷第1号,署名冯文炳;《美丽的小姑娘》作为《杂诗》之"七",载上海《诗》月刊1923年4月15日第2卷第1号,署名冯文炳。被撕去的《冬晚》和《小孩》前半截,或即刊于北京《努力周报》1922年10月8日第23期之《冬夜》和《小孩》。又,冯文炳致胡适信中说:"昨天又因为《努力》得了一首诗的材料!我再也忍不住了!大胆写几首诗寄上来了!"可知,《〈努力〉》当作于1922年9月10日。附于此信中的其他12首诗,当作于1922年9月10日或11日。

小 猫[①]

天气很是冷冽,
我站在游廊上挡住太阳。
一只小猫也把尾巴垫着后腿在廊下弓也似的湾着。——
我俩眼对眼的望着。

[①] 据胡适档案藏稿。

算命的瞎子[1]

平常捏着算命的器具在街上行走的瞎子,
现在空手走着,现出要哭的神气。
一群小孩跟在他的后面嘲笑。
我仿佛知道了他心里的哀愁,
同他所要说出的话;
并且想叫住小孩们不要嘲笑;
但是他们的声音嘈杂,我的声音太小了。

---

[1] 据胡适档案藏稿。

小　　孩[①]

　　那时我还是小孩,最欢喜看弹花匠弹被絮。
当他把木制的圆盘似的压板放在絮上,
自己又站在板上一来一往的踏着时,
我觉得这比什么游戏都好。
所以逢着母亲差我去叫弹花匠,
我比什么事都肯做。
现在,依然是弹花匠弹被絮,
我的两个小兄弟在旁边玩耍,
他们或者同我那时一样,
我却唤不回那时的高兴。
当他一下一下的弹着弦,
我心上的弦也一下一下的弹着,
这弦声是:"他的工作太单调。"
　　那时我还是小孩,最欢喜看农家搬湖草。
当载草的船到岸时,
我,还有别的小孩,拉一把湖草替自己做胡子,

---

① 据胡适档案藏稿。

做好了,挂在两个耳朵上学戏子唱戏,
回家去便是没赶到饭吃,
只要母亲不责备我,也不哭着说饿了。
现在,依然是湖草堆在沙滩上,
在那里有好几个小孩同我那时一样,
我却唤不回那时的高兴。
当农人挑草回家落下几根在路上,
我便拣了起来,觉得这比同他们亲手还要亲切;
好像他们告诉我他们的辛苦似的感着悲哀。

夏日下乡途中所见①

　　走了十里多路，
褂子完全汗湿了。
好容易走到了坝上一株大树下，
解开褂子休息着。
坝的这边草地上，两个放牛的女孩对面坐着揸瓦片，
牛在一旁吃草。
坝的那边小河里，几个浴水的男孩小狗似的互相抟搏着。
一阵凉风吹的我长啸一声，
不觉也惊动他们，偏头望我。

---

① 据胡适档案藏稿。

夏　　夜[1]

闷热的天气,好容易起了一阵微风。
我顿时忘掉一切——
却被间壁院子里舂米的哥哥呼呼的睡声所打动。

---

[1] 据胡适档案藏稿。

京寓杂感[①]

天炎催我睡,一觉听雨声!举首睄四壁,忽动相思情。
街巷传来者:小孩叫唤声。起立房门口,雨泡乱翻滚。

---

① 据胡适档案藏稿。

追记去年在县城经过牢狱所感[①]

我行过此路,不觉感悲伤。一边杨柳树,一边峙高墙。树上一乌鸦,墙内几儿郎?乌鸦喜新枝,一叫远飞翔。

---

① 据胡适档案藏稿。

风暴的晚上[1]

　　风暴快来了,我奔命的往回跑。
走到北河沿,
高低不平的路,只有电光一闪时才辨得清白。
除掉"车么?","车么?",
再也没听见别的声音。——虽然闪电,却没打雷——
不可捉摸的思想却在脑里嚷道:"倘若我的母亲知道我在这
　　里走呵!"

---

[1]　据胡适档案藏稿。

《努力》[1]

  今天早晨我一起来,便跑到门口去买《努力》。
一个穿青布短褂,褂上挂一个上面写着"努力"的黄布袋子的,
两颊丰满的小孩便知道我的来意,抢上前迎着。
我很欢喜的摸出一个大铜子,慢慢的放在他的小手中,
笑道:"《努力》!"
他也很得意的走出门外了。
  我因为太注意了那个小孩子,
忘却我的身旁还有一个小孩,
他的面貌很瘦,衣服很脏,又没有挂着黄布袋子,
生意被那个夺去了,脸上现出失望的凄惨。
我的笑容也被风吹去了,
背转身来叹道:"努力!"

---

[1] 据胡适档案藏稿。

冬　　夜①

　　朋友们都出去了，
我独自坐着向窗外凝望。
雨点不时被冷风吹到脸上。
一角模糊的天空，界划了这刹那的思想。
霎时仆人送灯来，
我对他格外亲切，不是平时那般疏忽模样。

---

① 载北京《努力周报》1922年10月8日第23期，署名冯文炳。

小　孩[①]

　　雨后的街道，
泥泞中踏开了容得一个人走过的路。
我挈起衣服从这边低头走去，
不觉迎面撞着一个小孩子。
无意中我的手已经搭在他的肩膀上，
笑道："谁让谁呢？"

[①] 载北京《努力周报》1922年10月8日第23期，署名冯文炳。又作为《杂诗》之"六"前半部分（分行略有不同），载上海《诗》月刊1923年4月15日第2卷第1号，署名冯文炳。

小　　诗[1]

"你未免太瘦了",
这是我的母亲时常愁闷着向我说的话。
但是——
母亲呵！
除非儿所看见的都是儿所欢喜的。

---

[1] 据胡适档案藏稿。1922年11月2日冯文炳致胡适函后附有"小诗四首",此诗为其"一"。另外三首均载上海《诗》月刊1923年4月15日第2卷第1号,署名冯文炳,本书另有收录。

杂　　诗①

一

　　猛然听得从街上传来的声音，——
好像我父亲喊我小名的声音，却再也没听见什么了！

二

　　我爱那捏着芭蕉扇在草地上纳凉的女孩子，
可是我不敢走近问她的姓名！

三

　　我正在读书的时候，
听到门外讨饭的瞎子的叫喊，
接着是一个朋友嬉戏着学他的叫喊！

---

①　载上海《诗》月刊1923年4月15日第2卷第1号，署名冯文炳。

四

　　我时常记起那天在市场上遇着的那赤脚的女孩子：
举起盛着叫卖的西瓜的篮子，
走向玩具店问一朵纸花的价值。

五

　　这都是我遇见的小孩：
白天里跟着太太的车子跑；
夜间在漆黑的巷子里喊卖："晚报！"

六

　　雨后的街道，泥泞中踏开了容得一个人走过的路。
我挈起衣服从这边低头走去。
不觉迎面撞着一个小孩子。
无意中我的手已经搭在他的肩膀上，笑道："谁让谁呢？"①
　　雨后的街道，泥泞中没有一个足迹。
我挈起衣服从这边低头走去。
走到前面横着水荡的地方，不觉止了脚步，打量怎样过去。

---

①　此诗以上部分，题为"小孩"，载北京《努力周报》1922年10月8日第23期，署名冯文炳。

忽然两个在荡旁游戏的赤脚的孩子叫道:"先生！这边跳。"
我果然依着他们的话平安的跳过去了。

七①

太阳落山的时候,我沿着北河沿的杨柳树往前走。

河那边杨柳树下,一个美丽的小姑娘夹〔挟〕着书包同我一样的方向往前走。

起初她走在我前,我快一点步子赶上了,两个人差不多成一条直线。

她往天上一瞧,我也往天上一瞧,原来杨柳缝里衬出半轮月亮。

月亮好像也爱那小姑娘,带笑的向着我们朝后退。

不觉间前面到了一座桥,我更快一点步子,打算到那边去捱近她。——

不知怎的却站在桥头望着她过去了。

---

① 胡适档案藏稿题为"美丽的小姑娘"。

杂　诗[①]

一

我的心焦灼得要炸了,
用种种法子想把他凉下去,
结果只焦灼得更利害。
平尝读圣经到耶稣钉上十字架的地方,
心里也凉爽;
有一回偶然遇见被处死刑的强盗上杀场,
心里也凉爽:
这些时候,我感着种种不同的悲哀,
虽然苦,究竟是一种味道。
只有今天,
实在只有今天,
人家照例笑嬉嬉的过去,
我的心焦灼得要炸了。

---

① 载上海《诗》月刊1923年5月15日第2卷第2号,署名冯文炳。

二

"凡事不要凭着理想,
这样,徒自增苦恼!"
"朋友!
我能了解你话里的意义,
但这意义不能消掉我的苦恼。"

磨面的儿子①

"给我买一幅眼镜呀,爸爸?"
"你要眼镜做什么呢,
你的眼睛近视不成?"
"那么,驴子,他要眼镜做什么呢?"

---

① 载上海《诗》月刊1923年5月15日第2卷第2号,署名冯文炳。

洋车夫的儿子[1]

"爸爸!你为什么不睬我呢?
只要一个铜子,
那个糖,阿五吃的那个糖。"
"拉去罢?拉去罢?"
"走了,走了,
也,也不睬你哩!"

---

[1] 载上海《诗》月刊1923年5月15日第2卷第2号,署名冯文炳。

夏　　晚[①]

天上乌云密布，
我在池旁，
鱼在池中，
　没有谁知道。
我把我的心一行行写成字，
再把字一个个化成灰，
其时漏钟三响，
细雨吱吱不住。

[①] 载上海《民国日报·文艺旬刊》1923年9月25日第9期，署名冯文炳。

小　　诗[①]

久不作诗,五分钟内吟成两首,所以催眠也。
十二月十九日晨起补记。

一

白天里我对着一张纸做我的梦,
夜间睡在床上听人家打鼾。

二

讨厌的人们呵,
你们就在梦里也是搅扰我。

[①] 载北京《语丝》周刊 1926 年 1 月 11 日第 61 期,署名冯文炳。

一日内的几首诗[①]

一

我把我自己当一块石头丢了——
嗳哟,他丢不出这世界!

二

我走在大街之上,
忽而又跑上这大街里头的一座山——
我鼓起眼睛仰对青天问了:
"这你所高临的下界原来是一个好看的绿林!"

三

多么一个简单的事实,

[①] 载北平《骆驼草》周刊1930年5月26日第3期,署名废名。

因为神经异样,所以就发狂。

四

上帝造就了一切,
但是,你要自杀吗,
须得自己去造一把刀。

五

四通八达的路上,
人看我,我看人,
我的心里呵,
是在念我的咒诅的诗句。

六

在我的门口有一个折断了腿破布包着膝头沿门讨饭者。
我愿普天下人都这样跪在"生"之前,
看他怎么好意思!

  今天因为别的事情翻开旧稿,一翻翻出了这几首诗,
一看日子都是四年前一天写的,我是完全忘记的了。
  十九年三月十六日。

译 诗[①]

太戈尔原作

"What language is thine, O sea?"
"The language of eternal question."
"What language is thy answer, O sky?"
"The language of eternal silence."

"你操的是那一种语言呢,啊,海?"
"语言而为永永之问。"
"你回答的又是那一种呢,啊,天?"
"语言而为永永之默。"

[①] 载北平《骆驼草》周刊1930年9月8日第18期,署名法。另见废名《谈新诗·冰心诗集》(新民印书馆1944年11月初版),文字略有出入。全诗如下:
"你说的是那一种语言呢,啊,海?"
"语言而为永久之问。"
"你答的是那一种语言呢,啊,天?"
"语言而为永久之默。"

笼①

我把我自己锁了起来,
侥幸我的爱情是最结实的了。
我听得树上的鸟儿叫得怪好听,
原来这是猎人装就的一只笼呵。
我要飞出去我已经是个奴隶,
我再哭也不肯哭了。
关死了我我不要紧,
可怜我身上还背了一个爱情呵。

> 我是不能做诗的,偶尔做出一首诗来,因而想说几句话。这首诗,来得极快,而是夜半苦口吟成,自己很是爱惜。我相信它是一首新诗,严格的新诗。中国的新诗,如果要别于别的一切而能独立成军,我想这样的一种自由的歌唱,是的。原来它有它的气候呵,自然与散文不同。然而我只有这一回。这决不是自己

---

① 载北平《华北日报副刊》1930年3月16日第281号,署名废名。

想夸口，有什么可夸的呢？生命的偶尔的冲击。自己简直想不发表，讲闲话则简直对不起自己呵。做诗的人（这是说新诗，从来的旧诗人似乎又不同，那简直不别于散文的）实在要看他过的一种生活，这是无可如何的，我因为自己知道是非诗人，所以向来就不妄想做诗。其次，做诗也还是运用文字，首先当然要学会作文，这并不是一件容易事呵，古之诗人似乎都有这副本领，所谓"得失寸心知"也。这当然又不是截然的两件事，每每是互相生长，到得成功，自然有一个从心所欲不逾矩。对于文字的运用懂得辛苦的人，每每悟得体裁，各样体裁各有其长短，而当初的创造者我们真可以佩服他，他找得了他的范围，就在这里发展，避其所不及，用其所长，结果只成就了他的长处了，成为一时代的创作，所以中国文学史上有词做得极古怪，决不是以前的诗之所有，而其人也曾做诗，待现在我们看来，显有高下之别，这是一件有意义的事的，——这一说真不晓得说些什么东西了，然而我是关心于中国的新诗，巴不得它一下得到了它的真正的领土，它要是完全是创造的，要有它的体裁，它的文字，文学史上的事实可以证古人多不"旧"，而我们每每是旧的了，弄得牛头不对马嘴，一座荒货摊。糟踏了新诗这颗好种子且不说,看着古人一代一代的创造的成绩,我们真好自己是奴才哩。或者这个奴才又站在西方圣人之前。然而最要紧的自然还是生命,生命的洪水自然会冲破一切,而水也自然要流成河流。我因为不能做诗,而真真的是爱它,不由己的乱说一阵,实在没有说得好。如果是我一时发了狂,那不久我也一定知道,天下诗人幸莫怪我。　　　　三月五日

亚　　当[①]

亚当惊见人的影子，
　　于是他就悲哀了。
人之母道：
　　"这还不是人类，
　　是你自己的影子。"

　　　　　　　　　　二十年三月十四日

[①] 载北平《文学季刊》1934年1月1日创刊号，署名废名。又载上海《诗领土》月刊1944年6月25日第3号(5、6月合刊)，与《偶成》合题为"废名诗抄"，署名废名。又载上海《风雨谈》月刊1944年8月9日第14期，署名废名。存手稿。

沉　　默

山在夜里才自默其高，
因为不安寂寞。
登泰山而小天下，
于是泰山思慕夜。

　　　　　　　二十年三月十四日

止　　定

夜深
人间之鼾息
惊动一枝万年笔。

　　　　　　二十年三月十五日

诗　　情①

病中没看梅花，
今日上园去看，
梅花开放一半了，
我折他一枝下来，
待黄昏守月
寄与嫦娥
说我采药。

---

① 载北平《华北日报·文艺周刊》1934年5月21日第8期，与《醉歌》合题为"诗选之七"，署名废名。家藏稿末署"二十年三月十五日"。

眼　　明

我拧着闲愁掐一朵花，
捻在手上我明眼的看，
也算是在我的黄昏天气里
点一点胭脂。

二十年三月十六日

梦之二①

我在女人的梦里写一个善字,
我在男子的梦里写一个美字,
厌世诗人我画一幅好看的山水,
小孩子我替他画一个世界。

二十年三月十七日

---

① 家藏稿原题为"梦之使者"。另见废名《中国文章》,北平《世界日报·明珠》1936年11月6日第37期,题为"梦"。又见废名《黄梅初级中学二四区毕业同学所办怀友录序》,北平《平明日报·星期艺文》1947年7月27日第14期,题为"梦",全诗如下:
我在男子的梦里写一个美字,
我在女人的梦里写一个善字,
厌世诗人我画一幅美丽的山水,
小孩子我替他画一个世界。

无　　题[①]

对着镜子
忽然起杀像之意，——
我还是听人生之呼唤
让他是一个空镜子。

[①] 载北平《华北日报·文艺周刊》1934年4月23日第4期，与《果》《栽花》《坟》合题为"诗选之三"，署名废名。家藏稿原题为"杀却像"，末署"二十年三月十七日"。

草,树,花

点点红不如天上的星,
　　一园之花语。
浅草默以太阳命之曰夜。
众树离群自守其影。

　　　　　　　二十年三月十八日

画①

嫦娥说,
我未带粉黛上天,
我不能看见虹,
下雨我也不敢出去玩,
我倒喜欢雨天看世界,
当初我倒没有当把伞当月亮,
自在声音颜色中,
我催诗人画一幅画罢。

---

① 载北平《华北日报·文艺周刊》1934年4月2日创刊号,与《琴》《墓》《画题》《路上》《伊的天井》合题为"琴及其他",署名废名。又载奉天《盛京时报》1934年4月12日《另外一页》,署名废名。另见废名《北平通信》,上海《宇宙风》半月刊1936年6月16日第19期。家藏稿末署"二十年三月十八日"。收入《水边》和《招隐集》。

拔树梦

梦见窗外一棵树倒了,举头熟视
　　无已,
我很喜欢这个梦怎么这么轻。

二十年三月二十一日

琴[①]

我是一个贪看颜色的人,
所以我成了一个盲人,
向来我笑人说花作影,
花为什么看他的影子,
我以为那一定是一个盲人,
如今我是一个盲人,
我的世界没有影子,
一切的颜色是我的涅槃,
天上我晓得有星,
黑夜不如我的光明,
我的世界没有生生死死,
我求我的夜借我一张琴,
弹一曲五色之哀音。

---

① 载北平《华北日报·文艺周刊》1934年4月2日创刊号,与《画》(嫦娥说)、《墓》《画题》《路上》《伊的天井》合题为"琴及其他",署名废名。又载奉天《盛京时报》1934年4月12日《另外一页》,署名废名。

花的哀怨[①]

我是一朵花,
一朵红的花,
一朵小的花,
我长望着一颗星,
知道我总也不能求他的光明。
我知道我的心,
情愿就在黑暗里自己安静一点,——
谁说我不哭?
可怜的露珠儿她也怕人看见了罢了,
只有她最是知道我的心,
在这寂寞里依靠我的命运似的。
我害怕明天的朝阳,
我怕他又来了,
于是他们就说我又哭了,
说我脸红了,——
他们那知道我的心?
我是一天一天憔悴的了。

[①] 载北平《华北日报·文艺周刊》1934年4月16日第3期,与《玩具》合题为"诗选之二",署名废名。

玩　　具①

我带一件玩具去求见一位女郎，
路上我遇见上帝，
看护一只羔羊，
我知道这是天上，
上帝为什么指手，
我想这大概是指点我，
我看见地下一座坟墓，
草色芊芊墓正圆，
人间从天上看是一块草田，
我一句话也没说，
我把我的礼物交给上帝，
醒来了我做了一场梦，
我信托我的礼物他不是空的。

---

① 载北平《华北日报·文艺周刊》1934年4月16日第3期，与《花的哀怨》合题为"诗选之二"，署名废名。

果①

我不愿我的花带我以甘露,
我等他还我一颗鸦片
我囫囵吞枣。

---

① 载北平《华北日报·文艺周刊》1934年4月23日第4期,与《无题》(对着镜子)、《栽花》《坟》合题为"诗选之三",署名废名。

栽　　花[①]

我梦见我跑到地狱之门栽一朵花，
回到人间来看是一盏鬼火。

[①] 载北平《华北日报·文艺周刊》1934年4月23日第4期，与《无题》(对着镜子)、《果》《坟》合题为"诗选之三"，署名废名。

坟①

我的坟上明明是我的鬼灯,
催太阳去看为人间之一朵鲜花。

---

① 载北平《华北日报·文艺周刊》1934年4月23日第4期,与《无题》(对着镜子)、《果》《栽花》合题为"诗选之三",署名废名。

小　园[①]

我靠我的小园一角栽了一株花，
花儿长得我心爱了。
我欣然有寄伊之情，
我哀于这不可寄，
我连我这花的名儿也不可说，——
难道是我的坟么？

[①] 据家藏稿。另见废名《新诗讲义——关于我自己的一章》，《天津民国日报·文艺》1948年4月5日第120期。

无 题[1]

我在人家的门前看见一个小孩,
伊的母亲是我所敬重的人,
在这里我不敢说一个爱字,——
事到如今
可笑我还是一颗要哭的心。
我伸手向这小孩表示我的欢欣,
小人儿也认得我的慈祥,
忘却我们的陌生,
这时我不是站在爱情面前,
所以我不怕见伊的母亲。

---

[1] 见《胡适遗稿及秘藏书信》第 36 卷,黄山书社 1994 年 12 月版,附于废名致胡适信后,作于 1932 年 6 月 15 日。

无　　题[①]

我是从一个梦里醒来,
看见我这个屋子的灯光真亮,
原来我刚才自己慢慢的把一个现实的世界走开了。
大约只能同死之走开生一样,——
你能说这不是一个现实的世界么?
我的妻也睡在那壁,
我的小女儿也睡在那壁,
于是我讶着我的灯的光明,
讶着我的坟一样的床,
我将分明的走进两个世界,
我又稀罕这两个世界将完全是新的,
还是同死一样的梦呢?
还是梦一样的光明之明日?

[①] 见废名《诗及信》,北平《水星》月刊1935年1月10日第1卷第4期,作于1934年10月17日。题名系本书编者所加。

无　　题[①]

糊糊涂涂的睡了一觉，
把电灯忘了拧，
醒了难得一个大醒，
冷清清的屋子夜深的灯。

目下的事情还只有埋头来睡，
好像看鱼儿真要入水，
奇怪庄周梦蝴蝶
又游到了明日的早晨。

---

① 见废名《诗及信》,北平《水星》月刊 1935 年 1 月 10 日第 1 卷第 4 期,作于 1934 年 11 月。收入《水边》和《招隐集》,题为"无题"。

出 门[1]

我走在街上，
心里惊讶着一个人类的记录，
这就是说诗人的诗，——
迎面来了一个朋友我不认识了，
这时我举目无亲，
百事皆非，
车水马龙
肩摩踵接
也正好不是一个空白，
我仿佛只有这个空白的是最能懂得的了。

---

[1] 载天津《益世报·文学副刊》1935年5月1日第9期，署名废名。

理发店[1]

理发匠的胰子沫
同宇宙不相干
又好似鱼相忘于江湖。
匠人手下的剃刀
想起人类的理解
划得许多痕迹。
墙上下等的无线电开了，
是灵魂之吐沫。

       二五,五,一.

---

[1] 载上海《新诗》月刊 1936 年 12 月 10 日第 1 卷第 3 期,与《北平街上》《飞尘》合题为"诗三首",署名废名。收入《水边》和《招隐集》。另见废名《新诗讲义——关于我自己的一章》,《天津民国日报·文艺》1948 年 4 月 5 日第 120 期。

北平街上①

诗人心中的巡警指挥汽车南行
出殡人家的马车马拉车不走
街上的寂静古人的诗句萧萧马鸣
木匠的棺材花轿的杠夫路人交谈着三天前死去了认识的人
是很可能的万一着了火呢
不记得号码巡警手下的汽车诗人茫然的纳闷
空中的飞机说是日本人的
万一扔下炸弹呢
人类的理智街上都很安心
木匠的棺材花轿的杠夫路人交谈着三天前死去了认识的人
马车在走年龄尚青蓬头泪面岂说着死人的亲人
炸弹搬到学生实验室里去罢
诗人的心中宇宙的愚蠢

二五,五,三.

---

① 载上海《新诗》月刊 1936 年 12 月 10 日第 1 卷第 3 期,与《理发店》《飞尘》合题为"诗三首",署名废名。家藏稿末署"五,三。"。收入《水边》和《招隐集》,题为"街上"。

飞　　尘①

不是想说着空山灵雨，
也不是想着虚谷足音，
又是一番意中糟粕，
依然是宇宙的尘土，——
檐外一声麻雀叫唤，
是的，诗稿请纸灰飞扬了。
虚空是一点爱惜的深心。
宇宙是一颗不损坏的飞尘。

二五，十，二三．

---

① 载上海《新诗》月刊 1936 年 12 月 1 日第 1 卷第 3 期，与《理发店》《北平街上》合题为"诗三首"，署名废名。家藏稿末署"十月二十三日"。收入《水边》和《招隐集》。《水边》书首有此诗手稿照片。

二十五年十一月十五日北平初冬大雪后夜半作是日鹤西回保定[①]

火车站走了少年客,
他是从梅花大庾岭回来的,
他说红豆生南国,
三年的相思不见一株落叶树,
今天北平初冬的大雪,——
说不尽山中白云,
数不尽树上红叶,
诗情片片拾得,
于今又回到不远的车站旁边住家去了。
我家院子里两年高一株小杏树,
大雪里小孩子比着圣诞老人似的,
这些我都忘记了,
夜半一天星,
天真嬉笑问我一切,

---

① 载上海《宇宙风》半月刊1937年1月16日第33期插页,系据手稿影印。家藏稿题为"二十五年十一月十五日北平初冬大雪后,夜半作。是日鹤西回保定。"。

迎面我也忘了天上的星，
我记得亮晶晶一天的雪，——
问你们晚安！

灯[①]

深夜读书
释手一本老子道德经之后,
若抛却吉凶悔吝
相晤一室。
太疏远莫若拈花一笑了,
有鱼之与水,
猫不捕鱼,
又记起去年冬夜里地席上看见一只小耗子走路,
夜贩的叫卖声又做了宇宙的言语,
又想起一个年青人的诗句
鱼乃水之花。
灯光好像写了一首诗,
他寂寞我不读他。
我笑曰,我敬重你的光明。
我的灯又叫我听街上敲梆人。

[①] 载上海《新诗》月刊1937年3月10日第1卷第6期,与《星》合题为"诗二首",署名废名。收入《水边》和《招隐集》。

星①

满天的星

颗颗说是永远的春花。

东墙上海棠花影

簇簇说是永远的秋月。

清晨醒来是冬夜梦中的事了。

昨夜夜半的星,

清洁真如明丽的网,

疏而不失,

春花秋月也都是的,

子非鱼安知鱼。

---

① 载上海《新诗》月刊1937年3月10日第1卷第6期,与《灯》合题为"诗二首",署名废名。收入《水边》和《招隐集》。存手稿。

十二月十九夜①

深夜一枝灯,

若高山流水,

有身外之海。

星之空是鸟林,

是花,是鱼,

是天上的梦,

海是夜的镜子。

思想是一个美人,

是家,

是日,

是月,

是灯,

是炉火,

炉火是墙上的树影,

是冬夜的声音。

---

① 载上海《文学杂志》月刊 1937 年 6 月 1 日第 1 卷第 2 期,与《宇宙的衣裳》《喜悦是美》合题为"诗三首",署名废名。收入《水边》和《招隐集》。存手稿。

宇宙的衣裳①

灯光里我看见宇宙的衣裳,
于是我离开一幅面目不去认识他,
我认得是人类的寂寞,
犹之乎慈母手中线
游子身上衣,——
宇宙的衣裳,
你就做一盏灯罢,
做诞生的玩具送给一个小孩子,
且莫说这许多影子。

---

① 载上海《文学杂志》月刊1937年6月1日第1卷第2期,与《十二月十九夜》《喜悦是美》合题为"诗三首",署名废名。家藏稿末署"四.一."。收入《水边》和《招隐集》。

喜悦是美[1]

梦里的光明,
我知道这是假的,
因为不是善的。
我努力睁眼,
看见太阳的光线,
我喜悦这是真的,
因为知道是假的,
喜悦是美。

---

[1] 载上海《文学杂志》月刊1937年6月1日第1卷第2期,与《十二月十九夜》《宇宙的衣裳》合题为"诗三首",署名废名。家藏稿末署"二六,四,一。"。收入《水边》和《招隐集》。

远天的星[1]

黄昏街头的杨柳,
是空中的镜子。
对面小铺子的电灯,
是寂寞的尘封。
晚风将要向我说一句话,
是说远天的星么?

---

[1] 载《北平晨报·风雨谈》1937年5月18日第28期,署名废名。家藏稿末署"四,二九."。

小 河[①]

干涸了的河床
　　望着天上的星道,
　　　"我昼夜不息的波流呢?"
天上的星一齐谢道,
　　"我们忘了河里的沙,
　　　你记得我们的波流。"

[①] 载《北平晨报·风雨谈》1937年5月25日第31期,署名废名。家藏稿末署"五,一."。

街　　头[①]

行到街头乃有汽车驰过,

乃有邮筒寂寞。

邮筒 PO

乃记不起汽车的号码 X,

乃有阿拉伯数字寂寞,

汽车寂寞,

大街寂寞,

人类寂寞。

[①] 载上海《新诗》月刊 1937 年 7 月 10 日第 2 卷第 3、4 期,与《寄之琳》合题为"诗二首",署名废名。收入《水边》。另见废名《新诗讲义——关于我自己的一章》,《天津民国日报·文艺》1948 年 4 月 5 日第 120 期。据废名 1937 年 5 月 11 日致周作人信,此诗当作于 1937 年 5 月 7 日。

寄之琳①

我说给江南诗人写一封信去,
乃窥见院子里一株树叶的疏影,
他们写了日午一封信。
我想写一首诗,
犹如日,犹如月,
犹如午阴,
犹如无边落木萧萧下,——
我的诗情没有两个叶子。

---

① 载上海《新诗》月刊 1937 年 7 月 10 日第 2 卷第 3、4 期,与《街头》合题为"诗二首",署名废名。家藏稿原题为"寄卞之琳",后涂掉"卞"字。末署"五,八."。收入《水边》和《招隐集》。另见废名《新诗讲义——关于我自己的一章》,《天津民国日报·文艺》1948 年 4 月 5 日第 120 期。

偶　　成①

行树之影，
古今之身，
又是小孩子的涂鸦，
又是女子的梦幻，
却在明月之下，
却是感伤的颜色，
声音也不落在画以外了。

---

① 载上海《诗领土》1944年6月25日第3号（5、6月合刊），与《亚当》合题为"废名诗抄"，署名废名。又载上海《风雨谈》1944年8月9日第14期，署名废名。存手稿。

雪的原野[①]

雪的原野,
你是未生的婴儿,
明月不相识,
明日的朝阳不相识,——
今夜的足迹是野兽么?
树影不相识。
雪的原野,
你是未生的婴儿,——
灵魂是那里人家的灯么?
灯火不相识。
雪的原野,
你是未生的婴儿,
未生的婴儿,
是宇宙的灵魂,
是雪夜一首诗。

---

① 载北平《平明日报·星期艺文》1947 年 3 月 2 日第 10 期,与《街上的声音》合题为"诗二首",署名废名。家藏稿末署"四,三三."。

街上的声音①

街上的声音,
不是风的声音——
小孩子说是打糖锣的。
风的声音,
不是宇宙的声音——
小孩子说是打糖锣的。
小孩子,
风的声音给你做一个玩具罢,
街上的声音是宇宙的声音。

---

① 载北平《平明日报·星期艺文》1947年3月2日第10期,与《雪的原野》合题为"诗二首",署名废名。存手稿。

四月二十八日黄昏[1]

街上的电灯柱
　一个灯一个灯。
小孩子手上拿了杨柳枝看天上的燕子飞,
　一个灯一个灯。
　石头也是灯。
　道旁犬也是灯。
　盲人也是灯。
　叫花子也是灯。
　饥饿的眼睛——也是灯也是灯。
黄昏天上的星出现了,
　一个灯一个灯。

---

[1] 载北平《龙门杂志》月刊1947年6月15日第1卷第4期,署名废名。存手稿。

鸡　　鸣[①]

人类的灾难止不住晨鸡鸣,

村子里非常之静,

大家惟恐大祸来临。

不久是逃亡,

不久是死亡,

鸡鸣狗吠是理想的世界了。

---

① 载北平《平明日报·星期艺文》1948 年 2 月 15 日第 43 期,署名废名。又载上海《文学杂志》月刊 1948 年 5 月第 2 卷第 12 期,与《人类》《真理》合题为"诗三首",署名废名。

人　类[①]

人类的残忍
正如人类的面孔，
彼此都是认识的。

人类的残忍
正如人类的思想，
痛苦是不相关的。

[①] 载北平《平明日报·星期艺文》1948年2月15日第43期，署名废名。又载上海《文学杂志》月刊1948年5月第2卷第12期，与《鸡鸣》《真理》合题为"诗三首"，署名废名。

真　　理[①]

飞机在空中
等于飞鸟。
飞机在空中
是炸弹。
什么是思想？
思想是飞鸟，
　是炸弹。
什么是真理？
真理不是飞鸟，
　不是炸弹。
真理是人类的同情心。

[①] 载北平《平明日报·星期艺文》1948年2月15日第43期，署名废名。又载上海《文学杂志》月刊1948年5月第2卷第12期，与《鸡鸣》《人类》合题为"诗三首"，署名废名。

人　　生[①]

我在街头看见额上流汗，

我仿佛看见人生在哭。

我看见人生在哭，

我的额上流汗。

---

① 载北平《平明日报·星期艺文》1948年6月7日第59期，署名废名。废名长篇小说《莫须有先生坐飞机以后》第14章《留客吃饭的事情》，将此诗列于莫须有先生名下，文字略有出入。全诗如下：
　　我在路上看见额上流汗，
　　我仿佛看见人生在哭。
　　我看见人生在哭，
　　我额上流汗。

向报名参加援朝志愿部队同学致敬[①]

亲爱的同学们,
我在红榜上看见你们的名字,
我动魄惊心了,
这都是我所认识的名字,
有的同我最熟,性情我最懂得,
实在今天我认识了年青人,
年青人就是正义,
年青人就是胜利,
我鞠躬致敬!
正同冬天里的松柏
致敬青春。

[①] 见《致敬青春》,载《文汇报》1950年11月28日《文汇报附刊》。作者"云"在文中说:"抗美援朝运动展开以后,各机关的工作人员,各学校的同学,纷纷报名,志愿参军,这一股热情,足以说明中国人民是不可侮的。""最近,很少写作的诗人、北大教授冯文炳先生,看到了这情形,激动的写下了这么一篇诗:向报名参加援朝志愿部队同学致敬。"

工作中依靠共产党[1]

在我的窗前雪极深,
人声极远,
因为我住的地方像一个疗养院,
我本来也是病人,
住在这里为得我能更好地工作起见!
我热情地工作,
我快乐地工作,
一年以来带着病眼
我的劳动效率远远地超过我从前在旧时代做隐士以前,
我让我的不能再有健康的右眼
像个病小孩一样在那里睡着了,
叫他不要醒不要喧,
左眼就像母亲在旁边
常常操作一个整天。
我有一个极大的心愿,
就是要求共产党同志帮助我,

---

[1] 载《人民日报》1957年3月3日第8版,署名冯文炳。

让我所承担的这份事业也能达到完全,
我知道我决没有什么作用如果不依靠共产党员!
在我的窗前雪极深,
人声极远,
我住的地方是祖国的东北边,
我没有故乡之思,
我没有家庭之念,
(这是伟大的社会主义制度在人们思想的表现!)
我一心总在工作上面,
我总想:
在我的工作部门有哪些哪些共产党员?
窗前雪没有人迹,
我笑着:
我有一颗温暖的心,
工作中依靠共产党员!

1957年2月17日于长春

迎新词[①]

我过去的本领都有用,
因为我今天能够参加劳动。
我过去的本领都有用,
因为我今天能够懂得歌颂——
歌颂中国共产党,
民族英雄,时代先锋!
剥削阶级出身的人觉悟得太迟了,
直到1958年新年,我对工农兵才有深厚感情,
把歌颂共产党当作我五十七岁以后的光荣,
争取新诗三百篇成功!

---

① 载《长春日报》1958年1月1日第4版《新年副刊》,署名冯文炳。

欢迎志愿军归国[①]

好几年前一天晚上我抬头望见天上一天的星,
我象小孩似的笑着问自己这时我想起的应该是什么人?
应该是我最亲的人!
谁是我最亲的人?
是朝鲜战场上中国人民志愿军!
我当时觉得我回答得不错,
我的话代表了中国人民的思想感情。
志愿军同志呵,
你们的同胞怎样时时刻刻想念你们,
一想起你们没有谁比你们更亲,
你们的身体是我们的骨肉,
你们的精神鼓舞我们在自己的工作岗位上前进!
如今听说你们回来了,
志愿军同志呵,
世界上有名的"最可爱的人"呵,
(你们知道,一个作家这样称呼你们!)

[①] 载《长春》月刊1958年5月1日5月号,署名冯文炳。

我,我觉得我是你们的亲人,

象你们的兄弟姊妹,

象你们的父亲母亲,

象你们的家乡,

巴不得一下子见到自己的亲人!

我们见面了,

很可能都是第一次相认,

无须道名问姓,

你们就是中国人民志愿军!

是国际主义与爱国主义结合的典型,

是人类最进步的人,

是劳动人民,

高举着有史以来一面最美丽的旗帜——

正义必胜!

而且我们大家时时刻刻共记得一个亲人——

我们伟大的领袖毛主席!

志愿军同志呵,我们六亿人民一条心,

伟大、光荣、正确的中国共产党领导我们前进!

如今反浪费反保守运动当中,

欢迎你们胜利归来大家一同跃进!

一九五八年三月十五日

五九年"七一"作抒情诗二首[①]

1

党的生时我无知,
七尺之躯已二十,
今日三十八年后,
一颗红心不怕稚。

2

丢掉包袱真不轻,
文学哲学极唯心,
最初不惯听改造,
十年改造知恩深。

[①] 手稿。署名冯文炳。

无 题[1]

我是这么一棵树,
心里总像一朵花,
丝毫没有老年感,
科学尖端争发芽。

---

[1] 手稿。作于1963年,未署名。题目系本书编者所加。